세종
한국어

어휘·표현과 문법

4A

문화체육관광부
국립국어원

# 차례

## 1부
**어휘와 표현**_5
Vocabulary

•

## 2부
**문법**_19
Grammar

•

## 부록

# 1부

Vocabulary

# 어휘와 표현

| 01 어휘와 표현 | VOCABULARY | 여건이 된다면 외국에서 1년쯤 살아 봤으면 해요 |
|---|---|---|
| 한국어 | ENGLISH | 예문 |
| 세계 일주 | travel around the world | 1년 동안 전 세계를 한 바퀴 도는 세계 일주를 하는 것이 내 꿈이다. |
| 해외 봉사 활동 | overseas volunteer work | 졸업하면 다른 나라에 가서 어려운 사람들을 돕는 해외 봉사 활동을 할 거예요. |
| 캠핑카 여행 | camper trip, camping trip | 나의 버킷 리스트는 차에서 생활하면서 전국을 여행하는 캠핑카 여행이다. |
| 패러글라이딩 | paragliding | 내년 생일에 친구와 유럽에 가서 패러글라이딩을 하기로 했다. |
| 개인 방송 채널 만들기 | creating a personal broadcast channel | 저는 한국 문화를 소개하는 개인 방송 채널을 만들어 보고 싶어요. |
| 내가 살 집 짓기 | building a house for myself | 나중에 내가 살 집을 직접 짓고 싶다. |
| 마라톤에서 끝까지 달리기 | running to the end of a marathon | 시민들은 다친 다리로 마라톤에서 끝까지 달린 선수에게 박수를 쳐 주었다. |
| 세계의 맛있는 음식 다 먹어 보기 | trying all the delicious foods from around the world | 멕시코의 타코, 베트남의 쌀국수 등 세계의 맛있는 음식을 다 먹어 보고 싶다. |
| 외국에서 한 달 살기 | living overseas for a month | 요즘 일상에서 벗어나 외국의 도시에서 한 달 동안 사는 외국에서 한 달 살기가 유행이다. |

| 02 어휘와 표현 VOCABULARY | | 한 번쯤 가 볼 만한 곳이야 |
|---|---|---|
| 한국어 | ENGLISH | 예문 |
| 여유롭다 | relaxed | 사람이 별로 없는 조용한 해변에서 여유로운 시간을 보냈어요. |
| 이국적이다 | exotic | 이곳은 풍경이 정말 이국적이라서 해외여행을 하는 기분을 느낄 수 있어요. |
| 낭만적이다 | romantic | 이 호수는 낭만적인 데이트 장소로 아주 유명해요. |
| 현대적이다 | modern | 두바이는 세계에서 제일 높은 빌딩이 있는 현대적인 도시이다. |
| 활기가 넘치다 | vivid, lively | 많은 사람들이 오가는 전통 시장은 날마다 활기가 넘친다. |
| 색다르다 | different | 신기한 바위로 이루어진 이 산은 다른 곳에서는 볼 수 없는 색다른 경치를 자랑한다. |
| 신기하다 | surprising | 이곳에 가면 오로라를 보는 신기한 경험을 할 수 있어요. |
| 역사가 깊다 | have a long history, historical | 역사가 깊은 이 도시에는 오래된 건축물이 많이 남아 있다. |
| 전망이 좋다 | have a great view, have a fine view | 불국사 뒤의 석굴암은 전망이 좋아서 많은 사람들이 찾는다. |
| 촬영지로 유명하다 | famous as a filming location | 부여에 있는 사랑나무는 드라마 촬영지로 유명해요. |

| 한국어 | ENGLISH | 예문 |
| --- | --- | --- |
| 앨범이 나오다 | album comes out, album is released | 곧 시온의 새 앨범이 나올 예정이에요. |
| 콘서트가 열리다 | concert is held | 다음 달에 한국에서 큰 케이팝 콘서트가 열려요. |
| 영화가 개봉하다 | movie is released | 곧 배우 예안이 처음으로 악역을 맡은 영화가 개봉해요. |
| 흥행에 성공하다/ 실패하다 | be successful in box office / fail in success | 이 영화는 사람들 사이에서 화제가 되면서 흥행에 성공하였다. |
| 수상하다 | win the prize | 최민호 감독이 영화 <지하세계>로 작품상을 수상했어요. |
| 기부하다 | donate | 이 화장품 회사는 수익금의 일부를 환경 보호 단체에 기부했어요. |
| 유행하다 | become popular, become widespread | 날씨가 추워지니까 감기가 유행하기 시작했어요. |
| 해외에 진출하다 | enter overseas markets | 우리 나라 기업의 자동차가 해외에 진출해서 큰 성공을 거두었어요. |
| 경제가 발전하다 | economy develops | 경제가 발전하기 위해서는 안정적인 중소기업이 많아져야 한다. |

| 한국어 | ENGLISH | 예문 |
|---|---|---|
| 가뭄 | drought | 오랜 가뭄 끝에 비가 내리면서 건조해진 땅은 다시 활기를 찾았다. |
| 홍수 | flood | 많은 비로 인해 홍수가 발생했고 많은 사람이 실종되었다. |
| 폭발 | explosion | 화산 폭발로 인해서 공항이 운영되지 않고 있다. |
| 폭우 | heavy rain | 폭우로 인해 마을로 들어가는 다리가 무너졌다. |
| 폭설 | heavy snow | 폭설로 인해 길이 얼어서 교통사고가 발생했다. |
| 산사태 | landslide | 산사태가 발생해서 다섯 명이 사망했다. |
| 전염병 | epidemic | 전염병이 발생해서 많은 사람들이 병원에 입원했다. |
| 피해가 발생하다 | damage occurs | 유명한 전통 시장에 불이 나면서 많은 피해가 발생했다. |
| 다치다/ 부상을 당하다 | get hurt / get injured | 축구 경기 중에 우리 나라 선수가 부상을 당했다. |
| 실종되다 | go missing | 지진으로 인해 사람들이 많이 실종되었다. |
| 죽다/사망하다 | die | 그 작가의 사망 소식에 모든 사람들이 눈물을 흘렸다. |
| 부상자 | injured person | 부상자를 병원으로 옮겨 치료를 하고 있다. |
| 사망자 | dead person | 지난해 발생한 교통사고 사망자는 1년 전보다 줄어들었다. |

| 05 어휘와 표현 | VOCABULARY | 어떤 앱을 주로 사용하냐면요 |
|---|---|---|
| 한국어 | ENGLISH | 예문 |
| 검색하다 / 찾다 | search | 여행을 가기 전에 항상 맛집을 검색해서 식당을 예약해요. |
| 업로드하다 / 올리다 | upload | 저는 에스엔에스(SNS)에 음식 사진을 많이 업로드해요. |
| 다운 받다 / 내려받다 | download | 인터넷 속도가 느려서 사이트에서 동영상을 다운 받을 때 시간이 오래 걸려요. |
| 설치하다 / 깔다 | install | 컴퓨터를 안전하게 사용하려면 바이러스를 막는 프로그램을 설치해야 해요. |
| 복사하다 / 붙여 넣다 | copy / paste | 인터넷에 있는 글을 복사해서 똑같이 쓰면 안 돼요. |
| 댓글을 달다 | post a comment | 에스엔에스(SNS)에서 친구의 결혼 소식을 보고 축하한다는 댓글을 달았어요. |
| 파일을 첨부하다 | attach a file | 파일을 첨부해서 메일을 보내야 하는데 깜빡하고 그냥 보냈어요. |
| 아이디를 만들다 | make an ID | 에스엔에스(SNS) 앱을 휴대폰에 깐 후에 아이디를 만들면 글이나 사진을 올릴 수 있다. |
| 클릭하다 / 누르다 | click | 도서관에서는 마우스를 클릭하는 소리도 시끄럽게 들릴 수 있어요. |
| 온라인 강의를 듣다 | take an online lecture | 학교에 등교하는 대신에 집에서 온라인 강의를 듣는다. |
| 화상 회의를 하다 | have a video conference | 회사에 출근하는 대신에 집에서 화상 회의를 하면서 일을 해요. |
| 사이트에 가입하다 | join a site, subscribe to a site | 이 파일을 다운 받기 위해서는 사이트에 가입해야 한다. |

| 한국어 | ENGLISH | 예문 |
|---|---|---|
| **뼈를 튼튼하게 하다** | strengthen one's bones | 시금치를 자주 먹으면 뼈를 튼튼하게 할 수 있다. |
| **소화가 잘되다** | easily digestible | 아침마다 양배추로 주스를 만들어 마시니까 소화가 잘되는 것 같아요. |
| **시력을 보호하다** | protect one's eyesight | 블루베리는 시력을 보호하는 대표적인 식품이에요. |
| **체력을 보충하다** | replenish one's strength | 두부는 단백질이 풍부해서 체력을 보충하고 싶을 때 먹으면 좋아요. |
| **피로 회복에 좋다** | good for recovering from fatigue | 레몬은 비타민 C가 풍부해서 피로 회복에 좋아요. |
| **암을 예방하다** | prevent cancer | 고구마 껍질에는 암을 예방할 수 있는 성분이 들어 있다. |
| **기억력을 향상시키다** | improve one's memory | 호두는 기억력을 향상시키는 효과가 있어요. |
| **면역력을 높이다** | increase one's immunity | 생강이나 버섯처럼 면역력을 높이는 음식들을 잘 챙겨 드세요. |

| 한국어 | ENGLISH | 예문 |
|---|---|---|
| 창피하다 | embarrassed, shameful | 시험을 너무 못 봐서 부모님께 성적표를 보여 드리기가 창피해요. |
| 얼굴이 빨개지다 | blush | 사람들 앞에 나가서 노래를 불렀는데 너무 부끄러워서 얼굴이 빨개졌어요. |
| 얼굴을 들 수가 없다 | cannot raise one's face | 나의 실수 때문에 친구에게 너무 미안해서 얼굴을 들 수 없었다. |
| 떨리다 | nervous | 많은 사람들 앞에서 발표를 해야 해서 너무 떨려요. |
| 자랑스럽다 | proud | 이번 학기 좋은 성적으로 장학금을 받아서 자랑스럽다. |
| 보람을 느끼다 | feel rewarded | 학생들의 실력이 향상되는 모습을 보면서 가르치는 보람을 느껴요. |
| 당황스럽다 | embarrassed, baffling | 그 소문은 너무 당황스러운 이야기였어요. |
| 깜짝 놀라다 | astonished | 뒤에서 누가 갑자기 어깨를 치는 바람에 깜짝 놀라서 돌아봤어요. |
| 가슴이 두근거리다 | one's heart is pounding | 내일 소풍 갈 생각에 가슴이 두근거려요. |

| 한국어 | ENGLISH | 예문 |
|---|---|---|
| 그림 같다 | look like a picture | 꽃잎이 바람에 날리는 거리 풍경이 한 폭의 그림 같이 아름답다. |
| 인상적이다 | impressive | 한쪽 벽에 걸려 있는 그림이 아주 인상적이었다. |
| 배가 떠 있다 | a boat is floating | 언덕에 올라가서 바다를 내려다보면 멀리 배가 떠 있는 모습을 볼 수 있다. |
| 마을이 한눈에 보이다 | see a village at a glance | 마을 뒷산에 있는 전망대에서 내려다보면 마을이 한눈에 보인다. |
| 사람들로 붐비다 | crowded with people | 시장은 새벽부터 나와서 일하는 사람들로 붐볐다. |
| 산으로 둘러싸여 있다 | surrounded by mountains | 서울은 산으로 둘러싸여 있어서 고층 빌딩 너머로 산들을 볼 수 있다. |
| 고층 빌딩이 늘어서 있다 | lined with high-rise buildings | 서울 시내에는 하늘을 찌를 듯이 높은 고층 빌딩이 늘어서 있다. |
| 좁은 골목이 이어져 있다 | connected by a narrow alley | 빌딩 사이사이에는 좁은 골목이 이어져 있다. |
| 푸른 들이 펼쳐져 있다 | green fields are spread out | 전망대에 오르면 푸른 들이 펼쳐져 있는 것을 볼 수 있다. |

08

| 한국어 | ENGLISH | 예문 |
|---|---|---|
| 신선하다 | fresh | 방송의 소재는 새롭지 않지만 이야기를 전달하는 방식이 신선해요. |
| 유익하다 | useful | 이 교양 프로그램은 경제생활에 도움이 되는 유익한 방송이에요. |
| 교훈을 주다 | give a lesson, teach a lesson | 이 강연 프로에 나오는 사람들은 자신의 인생을 이야기하면서 사람들에게 교훈을 줘요. |
| 공감이 가다 | sympathize | 드라마에 나오는 직장 생활 이야기가 너무 현실적이라서 공감이 가요. |
| 사회를 반영하다 | reflect society | 이 드라마는 현대 한국 사회를 반영하고 있어요. |
| 식상하다 | get tired | 여행을 소재로 한 예능 프로그램은 다 비슷해서 식상해요. |
| 자극적이다 | provocative | 이 방송은 지나치게 폭력적이고 자극적인 장면이 많아 시청자들에게 비난을 받고 있다. |
| 상식을 쌓다 | build common sense | 이 프로그램은 매주 새로운 미술 작품을 소개해 줘서 상식을 쌓을 수 있어요. |
| 위로를 주다 | give comfort | 이 드라마는 꿈을 잃어버린 이 시대의 청춘들에게 따뜻한 위로를 줘요. |
| 영향력이 크다 | have a lot of influence | 방송에 나온 물건들이 다음 날 모두 품절될 정도로 영향력이 큰 프로그램이에요. |

| 한국어 | ENGLISH | 예문 |
|---|---|---|
| 우연히 마주치다 | come across, run into | 헤어진 연인을 길에서 우연히 마주쳤지만 모른 척하고 지나갔어요. |
| 새로운 인물이 등장하다 | new character emerges | 직장을 잃고 힘들어하는 주인공 앞에 그를 도와줄 새로운 인물이 등장했어요. |
| 갈등을 겪다 | have a conflict | 두 사람은 결혼에 대한 생각이 달라 갈등을 겪어요. |
| 행복한 결말을 맺다 | have a happy ending | 두 사람이 서로의 사랑을 확인하면서 행복한 결말을 맺어요. |
| 사라지다 | disappear | 회사의 중요한 비밀이 들어 있는 노트북이 갑자기 사라졌다. |
| 범인을 쫓다 | chase the criminal | 경찰이 범인을 쫓고 있어요. |
| 첫눈에 반하다 | love at first sight | 주인공은 소개팅에서 그를 보자마자 첫눈에 반했어요. |
| 오해가 생기다 | misunderstanding arises | 그 일로 두 사람 사이에 오해가 생겼어요. |
| 재회하다 | reunite, meet again | 이번에 고향에 가서 친구와 10년 만에 재회했어요. |
| 비극적으로 끝나다 | end tragically | 이 소설의 이야기는 비극적으로 끝나요. |
| 도망치다 | run away | 범인이 가게의 물건을 가지고 도망쳤어요. |
| 반전이 있다 | with a twist | 반전이 있는 영화를 보면 소름이 돋아요. |

10

| 한국어 | ENGLISH | 예문 |
|---|---|---|
| 정치 / 경제 / 사회 / 문화의 중심지 역할을 하다 | serve as a political / economic / social / cultural center | 서울은 한국 경제의 중심지 역할을 한다. |
| 교통의 요충지이다 | transportation hub | 대전은 여러 지역을 연결하는 교통의 요충지이다. |
| 공장이 모여 있다 | factories are gathered, factories are concentrated | 도시 한쪽에 자동차 공장이 모여 있다. |
| 자원이 풍부하다 | rich in resources | 이 지역에는 땅에 묻혀 있는 지하 자원이 풍부하다. |
| 일자리가 부족하다 / 풍부하다 | jobs are scarce / abundant | 이 도시에는 회사들이 많이 모여 있어서 일자리가 풍부하다. |
| 인구가 집중되어 있다 | population is concentrated | 공업화, 도시화로 인해 대도시에 인구가 집중되어 있다. |
| 환경이 쾌적하다 | environment is pleasant | 이 지역은 큰 공원이 있어서 환경이 쾌적하다. |
| 사람들이 주로 농사를 짓다 | people mainly farm | 시골에서는 사람들이 주로 농사를 짓는다. |
| 아름다운 자연을 자랑하다 | boast of the beautiful nature | 제주도는 아름다운 자연을 자랑하는 여행지이다. |

| 12 어휘와 표현 | VOCABULARY | 한국에 대해 발표하고자 합니다 |
|---|---|---|
| 한국어 | ENGLISH | 예문 |
| 민족 | ethnic group | 미국은 다양한 민족이 같이 살고 있다. |
| 상징 | symbol | 무궁화는 한국을 상징하는 꽃이다. |
| 종교 | religion | 인도네시아의 대표 종교는 이슬람교이다. |
| 기후 | climate | 바닷가 지역은 기후 변화가 심해요. |
| 주요 산업 | main industry | 태국의 주요 산업은 관광업이에요. |
| 화폐 | money, currency | 각 나라의 화폐 속 인물은 주로 그 나라에서 존경 받는 사람들이에요. |
| 면적 | area | 러시아는 전 세계에서 가장 면적이 넓은 나라예요. |
| 언어 | language | 한국의 언어는 한국어예요. |
| 정치 제도 | political system | 이 나라의 정치 제도는 민주주의이다. |

# 2부

Grammar

# 문법

# -는다면 / ㄴ다면 / 다면

## 의미　MEANING

앞에 나오는 사실이 가정이나
조건임을 나타낸다.

'-는다면/ㄴ다면/다면' expresses that
the preceding fact is
an assumption or a condition.

## 형태/기능　FORM/FUNCTION

실현 가능성이 낮거나 사실이 아닌
경우에 '-는다면/ㄴ다면/다면'을
많이 쓰고, 실현 가능성이 높은
경우에는 '-(으)면'을 많이 쓴다.

'-는다면/ㄴ다면/다면' is commonly
used to express something that
is unfeasible or not true while
'-(으)면' is used when it is feasible.

## 예문　EXAMPLE

- 다시 태어**난다면** 지금과 다른 삶을 살아 보고
  싶어요.
- 초능력이 생**긴다면** 그 능력을 어려운 사람들을
  위해 사용해 보고 싶어요.
- 다시 고등학생이 **된다면** 정말 열심히 공부하고
  싶어요.
- 미래를 볼 수 있**다면** 로또 복권의 당첨 번호를
  미리 보고 싶어요.
- 회사 사장이 **된다면** 직원들에게 월급을 많이
  주고 싶어요.
- 시간 여행을 할 수 있**다면** 저는 과거로 가서
  세종대왕을 만날 거예요.
- 만약에 한국에 **간다면** 설악산을 등산해 보고
  싶어.
- 만약에 제게 돈이 많**다면** 세계 여행을 다닐
  거예요.

# -았으면 / 었으면 하다

## 의미 MEANING

말하는 사람의 희망이나 바람을 나타낼 때 쓴다.

'-았으면/었으면 하다' is used to express a speaker's hope or wish.

## 형태/기능 FORM/FUNCTION

'하다'를 생략하고 '-았으면/었으면'으로 문장을 끝낼 수도 있다.

'-았으면/었으면 하다' can be simplified to '-았으면/었으면' without '하다' in a sentence.

## 예문 EXAMPLE

- 내년에는 꼭 제주도에 가 **봤으면 해요**.
- 졸업하기 전에 전국을 자전거로 일주해 **봤으면 해요**.
- 여건이 된다면 외국에서 1년쯤 살아 **봤으면 해요**.
- 오늘은 외식을 **했으면 해요**.
- 우리 가족이 모두 건강하고 행복**했으면 해요**.
- 회사를 그만두고 한 달 간 혼자 여행을 떠**났으면 해요**.
- 결혼을 해서 함께 살**았으면 해요**.
- 바닷가에서 지**냈으면 해요**.
- 내일은 날씨가 좀 따뜻**했으면**.
- 좋은 사람을 만**났으면**.
- 내년에는 꼭 한국에 가 **봤으면 해요**.
- 감기에 걸려서 내일은 집에서 쉬**었으면 해요**.

# -(으)ㄹ 만하다

## 의미　MEANING

앞의 행동을 할 가치가 있다는 것을 나타낸다.

'-(으)ㄹ 만하다' expresses that it is worth doing the preceding behavior.

## 형태/기능 FORM/FUNCTION

뒤에 명사가 올 때는 '-(으)ㄹ 만한+명사'의 형태로 사용한다.

When it is followed by a noun, it can be used in the form of '-(으)ㄹ 만한+noun.'

## 예문　EXAMPLE

- 이 영화는 작품성이 뛰어나서 상을 받을 **만해요**.
- 서울은 볼거리가 많아서 여행을 **할 만해요**.
- 경주는 오래된 건물이 많아서 가 **볼 만해요**.
- 이 신발은 정말 편해요. 비싼 돈을 주고 **살 만해요**.
- 이 식당은 음식이 너무 맛있어서 줄을 서서 기다릴 **만해요**.
- 시간 있을 때 이 소설책을 꼭 읽어 보세요. 정말 읽을 **만해요**.
- 떡볶이는 조금 맵지만 정말 맛있어요. 먹어 **볼 만해요**.
- 여행 **갈 만한** 곳 좀 알려 주세요.
- 먹을 **만한** 음식이 별로 없네요.
- 이 미술관은 **볼 만한** 그림이 꽤 많네요.
- 제주도에 한번 가 보세요. 가 **볼 만해요**.
- 꽃이 예쁘게 피어서 구경할 **만해요**.

# -던데

## 의미 MEANING

뒤에 나오는 내용과 관련 있는 과거의 경험이나 사실에 대해 말할 때 쓴다.

'-던데' is used to express past experiences or facts related to the following content.

## 예문 EXAMPLE

- 에스엔에스(SNS) 프로필 사진이 멋지**던데** 어디에서 찍은 거야?
- 낙산공원은 야경이 멋진 곳이**던데** 한번 가 봐.
- 근처에 좋은 카페도 많**던데** 다음에 같이 가자.
- 어제는 피곤해 보이**던데** 오늘은 괜찮은 거야?
- 그 책은 지루하**던데** 읽을 만하니?
- 어제는 공원에 사람이 많**던데** 오늘은 어땠어?
- 그날은 방이 춥**던데** 오늘은 따뜻하네.
- 저 식당 음식 맛이 좋**던데** 너도 가 봤니?
- 회사가 멀**던데** 다닐 만하니?
- 과제가 어렵**던데** 해 볼 만하니?
- 이 앞에 새로운 식당이 문을 열었**던데** 한번 가 볼까요?
- 한국어 실력이 정말 좋**던데** 얼마나 공부한 거예요?

# -는대요/ ㄴ대요/ 대요

## 의미　MEANING

'-는다고/ ㄴ다고/ 다고 해요'의 줄임 표현으로, 다른 사람에게서 들은 말을 전달할 때 쓴다.


'-는대요/ ㄴ대요/ 대요' is
an abbreviation of '-는다고/ ㄴ다고/ 다고 해요,' and it is used to convey what is heard from another person.

## 예문　EXAMPLE

- 로라 씨가 아르바이트할 곳을 찾**는대요**.
- 로라 씨가 요리하는 걸 좋아**한대요**.
- 로라 씨가 얼마 전에 회사를 그만뒀**대요**.
- 로라 씨가 요즘 취미로 드럼을 배운**대요**.
- 로라 씨가 오디션에 합격했**대요**.
- 제 친구가 얼마 전에 방송국에 취직했**대요**.
- 그 식당은 사람이 너무 많아서 시끄럽**대요**.
- 그 음식은 조금 맵지만 먹을 만하**대요**.
- 등산은 힘들지만 건강에 좋**대요**.
- 재민 씨는 여행을 떠나고 싶지만 회사 일로
  바쁘**대요**.
- 안나 씨가 내년에 한국으로 유학을 **간대요**.
- 여기에서 유명한 영화를 찍었**대요**.

# -내요, -(으)래요, -재요

## 의미  MEANING

'-냐고 하다', '-(으)라고 하다', '-자고 하다'의 줄임 표현으로 다른 사람에게 질문, 명령, 청유를 듣고 전달할 때 쓴다.

'-내요, -(으)래요, -재요' are abbreviations of '-냐고 해요, -(으)라고 해요, -자고 해요' respectively, and they are used to tell what someone else asked, ordered, or requested.

## 예문  EXAMPLE

- 유진 씨가 다음 달에 콘서트에 갈 수 있**내요**.
- 마리 씨가 등산을 같이 갈 수 있**내요**.
- 형이 비행기 티켓을 끊었**내요**.
- 어머니께서 저녁을 먹으러 오**래요**.
- 동생이 책을 사 가지고 오**래요**.
- 친구가 여행을 떠나 보**래요**.
- 친구가 함께 운동을 하**재요**.
- 수지 씨가 쇼핑을 하**재요**.
- 진 씨가 함께 부산에 가**재요**.
- 유진 씨가 내일 몇 시에 올 거**내요**.
- 민수 씨가 결혼식에 꼭 오**래요**.
- 진 씨가 같이 밥 먹으러 가**재요**.

# (으)로 인해서

## 의미 MEANING

앞에 나오는 내용이 원인이나
이유가 됨을 나타낸다.
'(으)로 인해'라고도 할 수 있다.
공식적인 말이나 글에서 주로
사용한다.

'(으)로 인해서' expresses that the
preceding content is a cause or
reason. '-(으)로 인해' also can be
used. They are usually used in
formal speeches or texts.

## 형태/기능 FORM/FUNCTION

뒤에 명사가 올 때는 '(으)로
인한+명사'의 형태로 사용한다.

When it is followed by a noun,
it is used in the form of '(으)로
인한+noun.'

## 예문 EXAMPLE

- 전쟁**으로 인해서** 사람들이 많이 다치고 죽었다.
- 환경 오염**으로 인해서** 지구의 기온이
  올라갔습니다.
- 폭설**로 인해서** 강원 지역을 오가는 모든 항공기
  운항이 취소되었습니다.
- 발목 부상**으로 인해서** 경기에 출전하지
  못했습니다.
- 휴가를 떠나는 많은 여행객**으로 인해서** 티켓
  예매가 무척 어렵습니다.
- 한글날 행사**로 인해서** 세종학당에 사람들이
  많습니다.
- 많은 과제**로 인해서** 학생들이 피곤해합니다.
- 태풍**으로 인한** 피해가 매우 큽니다.
- 스트레스**로 인한** 건강 문제가 심각합니다.
- 산불**로 인해서** 축구장 3개 크기의 숲이 피해를
  입었습니다.
- 사고**로 인해** 길이 많이 막히고 있습니다.

# -(으)면서

## 의미 MEANING

앞의 내용이 뒤의 내용의 이유나
원인이 될 때 사용한다.

'-(으)면서' is used when
the preceding content is a cause
or reason for the following one.

## 예문 EXAMPLE

- 여행을 다니**면서** 인생이 즐거워졌어요.
- 한국 노래를 자주 들으**면서** 듣기 실력이
  향상되었어요.
- 오랫동안 비가 내리지 않으**면서** 산불이 자주
  발생하고 있어요.
- 교통사고가 이어지**면서** 부상자가 발생하고
  있습니다.
- 결혼식 준비를 하게 되**면서** 바빠졌습니다.
- 가족이 생기**면서** 행복해졌습니다.
- 강아지를 키우**면서** 많이 웃게 되었습니다.
- 동아리 모임을 하**면서** 많은 친구들과 사귀게
  되었습니다.
- 텔레비전을 보**면서** 책을 읽지 않게 되었습니다.
- 한국 친구를 만나**면서** 한국에 관심을 갖게
  되었어요.
- 길이 얼**면서** 교통사고가 발생했어요.

# -냐면

## 의미　MEANING

'-냐고 하면'의 줄임 표현으로, 질문을 반복하면서 뒤의 내용을 이야기할 때 쓴다. 말하기에서 주로 사용한다.

'-냐면' is an abbreviation of '-냐고 하면.' It is used when repeating a previously asked question. It is usually used in spoken language.

## 예문　EXAMPLE

- 그 사람하고 왜 헤어졌**냐면** 성격이 너무 맞지 않아서예요.
- 주말에 누구를 만났**냐면** 초등학교 동창을 만났어요.
- 이 사진에 있는 사람이 누구**냐면** 제가 예전에 짝사랑한 친구예요.
- 진 씨를 어떻게 아**냐면** 한국에서 공부할 때 기숙사에서 같이 살았어요.
- 이 식당에서 뭐가 맛있**냐면** 이 갈치조림이 맛있어요.
- 자주 가는 카페가 어디**냐면** 이 횡단보도 건너 저기예요.
- 그때 인터넷 쇼핑으로 산 물건이 뭐**냐면** 이 옷이예요.
- 이 노트북이 얼마나 인기가 많**냐면** 하루만에 예약 판매가 끝났대요.
- 인터넷으로 뭘 자주 하**냐면** 온라인 쇼핑을 자주 해요.
- 어떤 사람을 좋아하**냐면** 솔직한 사람을 좋아해요.

# -기가 쉽다, 어렵다, 힘들다, 편하다

## 의미    MEANING

앞에 나오는 일을 하거나 그 일이 일어나는 것이 쉽거나 어렵다는 것을 말할 때 사용한다.

'-기가 쉽다, 어렵다, 힘들다, 편하다' are used to express that it is easy or hard for the preceding thing to be done or to happen.

## 예문    EXAMPLE

- 그림으로 설명해 주면 이해하**기가 쉬워요**.
- 이제 말하기는 쉬운데, 쓰**기가** 아직 **어려워요**.
- 선생님이 설명하는 것을 한번 듣고 나면 만들**기가 쉬울 거예요**.
- 집안일은 혼자 하**기가 힘들어요**.
- 이사할 집을 결정하**기가** 무척 **어려워요**.
- 혼자 시험 준비를 하**기가** 너무 **힘들어요**.
- 이 앱은 여기에 도착지를 입력하면 택시 도착 시간과 요금을 모두 알 수 있어서 사용하**기가 편해요**.
- 등산을 하**기가 편한** 신발이에요.
- 이 앱을 사용하면 길을 찾**기가 쉬워요**.
- 실업 문제는 정말 풀**기가 어려운** 사회 문제인 것 같아요.

# -(으)ㄹ 뿐만 아니라

## 의미 MEANING

앞의 나오는 내용에 뒤에 나오는
내용까지 더해진다는 것을 나타낸다.

'-(으)ㄹ 뿐만 아니라' expresses that
the following content is added to
the preceding one.

## 예문 EXAMPLE

- 토마토는 불면증에 효과적**일 뿐만 아니라**
  피부에도 좋아요.
- 유진 씨는 일을 빨리 끝**낼 뿐만 아니라** 실수가
  없어요.
- 지금 하는 일은 적성에 잘 맞**을 뿐만 아니라**
  월급이 많아요.
- 이 식당은 음식이 맛있**을 뿐만 아니라**
  가격이 싸요.
- 이 소설책은 내용이 길고 복잡**할 뿐만 아니라**
  지루해요.
- 지금 사는 곳은 학교에서 가까**울 뿐만 아니라**
  방도 깨끗하고 넓어요.
- 선생님은 잘 가르**칠 뿐만 아니라** 학생들의
  이야기를 잘 들어줘요.
- 마늘의 알리신은 우리 몸의 면역력을 높여 **줄**
  **뿐만 아니라** 암 예방에도 큰 효과가 있습니다.
- 브로콜리는 비타민 C가 많**을 뿐만 아니라**
  칼슘도 풍부하다.
- 대중교통을 이용하면 교통비를 아낄 수 있**을**
  **뿐만 아니라** 환경도 보호할 수 있습니다.

30

# -게 하다

## 의미  MEANING

어떤 일을 하도록 시키거나 어떤 상태가 되도록 만드는 것을 나타낸다.

'-게 하다' is used to make someone do something or to make someone or something be in a particular state.

## 예문  EXAMPLE

- 선생님이 학생들에게 연습을 하**게 합니다.**
- 선생님이 학생들에게 문장을 만들**게 합니다.**
- 선생님이 학생들에게 한국 뉴스를 듣**게 합니다.**
- 늦은 밤에 먹는 음식은 얼굴을 붓**게 합니다.**
- 운전을 못 한다고 해서 지하철을 타**게 했습니다.**
- 친구는 나를 웃**게 합니다.**
- 동생이 나를 귀찮**게 합니다.**
- 많은 숙제는 학생들을 힘들**게 합니다.**
- 비타민 B1은 현대인에게 반드시 필요한 비타민으로 피로를 회복하고 체력을 보충하**게 해 줍니다.**
- 생강차는 우리 몸을 따뜻하**게 하는** 효과가 있어요.
- 밖에 나가기 귀찮아서 친구들을 집으로 오**게 했어요.**

# -(으)ㄹ 뻔하다

## 의미 MEANING

어떤 일이 실제로 일어나지는 않았지만 그럴 가능성이 매우 높았음을 나타낸다.

'-(으)ㄹ 뻔하다' expresses that something didn't actually happen but was close to happening.

## 형태/기능 FORM/FUNCTION

'-아서/어서 죽을 뻔하다'는 과거에 어떤 상태였음을 과장하는 의미로 사용한다. 주로 말할 때 사용한다.

'-아서/어서 죽을 뻔하다' is used to exaggerate a particular state in the past. It is usually used in spoken language.

## 예문 EXAMPLE

- 눈길을 걷다가 미끄러져서 넘어**질 뻔했어요**.
- 뒷주머니에서 휴대폰을 꺼내다가 바닥에 떨어뜨**릴 뻔했어요**.
- 운전하면서 다른 생각을 하다가 사고가 **날 뻔했어요**.
- 피곤해서 지하철에서 졸다가 내릴 곳을 지나**칠 뻔했어요**.
- 영화 시간을 잘못 알아서 영화를 못 **볼 뻔했어요**.
- 친구와 이야기를 하다가 수업에 늦**을 뻔했어요**.
- 침대에서 커피를 먹다가 쏟**을 뻔했어요**.
- 고양이와 놀아 주다가 약속에 늦**을 뻔했어요**.
- 핸드폰을 보다가 버스를 놓**칠 뻔했어요**.
- 배가 고파서 죽**을 뻔했어요**.
- 그 드라마의 주인공이 어떻게 될지 궁금해서 죽**을 뻔했어요**.
- 공항에 늦게 도착해서 비행기를 못 **탈 뻔했어요**.
- 핸드폰을 보면서 걷다가 나무에 부딪**칠 뻔했어요**.

# 아무 명사 (이)나

## 의미  MEANING

여러 가지 중에서 특별히 정해지지 않은 어떤 대상을 나타낼 때 쓴다.

'아무 noun(이)나' is used to express what is not specified among many options.

## 형태/기능 FORM/FUNCTION

'아무나'는 특별히 정해지지 않은 어떤 사람을 나타낼 때 사용한다.

'아무나' is used to refer to someone who is not specified.

## 예문  EXAMPLE

- 배가 고프니까 **아무 음식이나** 먹어요.
- 둘 다 좋으니까 **아무 곳이나** 예약해요.
- 비행시간이 짧으니까 **아무 자리나** 주세요.
- 피곤하니까 **아무 방이나** 주세요.
- 지루하니까 **아무 이야기나** 들려주세요.
- 졸리니까 **아무 음악이나** 틀어 주세요.
- 다리가 아프니까 **아무 데나** 앉을 곳을 찾아 봅시다.
- 바쁘니까 **아무나** 와서 도와줬으면 좋겠어요.
- 좋아하니까 **아무 옷이나** 다 예뻐 보여요.
- 미워하니까 **아무 때나** 보는 게 괴로워요.
- 방학이라서 시간이 많으니까 **아무 때나** 오세요.
- **아무거나** 막 만지면 안 돼요.

# -는/(으)ㄴ/(으)ㄹ 듯이

## 의미 MEANING

뒤에 나오는 상황이 앞의 상황과 매우 비슷하거나 같은 정도임을 비유적으로 표현할 때 쓴다. '-는/(으)ㄴ/(으)ㄹ 듯이'는 추측의 의미로도 사용한다.

'-는/(으)ㄴ/(으)ㄹ 듯' is used to express metaphorically that the following situation is similar to or identical to the preceding situation. '-는/(으)ㄴ/(으)ㄹ 듯이' is also used to guess.

## 형태/기능 FORM/FUNCTION

'-는/(으)ㄴ/(으)ㄹ 듯하다'의 형태로도 사용할 수 있다.

It is also used in the form of '-는/(으)ㄴ/(으)ㄹ 듯하다.'

## 예문 EXAMPLE

- 합격했다는 말을 들은 학생은 **뛸 듯이** 기뻐했어요.
- 강아지가 반갑다**는 듯이** 꼬리를 흔들어요.
- 그 남자는 도망치**는 듯이** 급하게 떠났어요.
- 마술 공연을 보는 아이가 신기하다**는 듯이** 눈을 크게 떴어요.
- 두 사람은 서로 싸우**는 듯이** 큰 소리로 이야기해요.
- 좋아하는 사람을 만**난 듯이** 환하게 웃고 있어요.
- 편지를 읽고 감동**한 듯이** 눈물을 흘려요.
- 기쁜 일이 생**긴 듯이** 콧노래를 불러요.
- 수진 씨가 계속 기침을 해요. 아마 감기에 걸**린 듯해요.**
- 풍경이 한 폭의 그림을 보**는 듯이** 아름다웠어요.
- 10시가 되니까 모두가 잠**든 듯이** 주위가 조용해졌어요.

# 피동(-이-, -히-, -리-, -기-)

## 의미　MEANING

다른 주체에 의해 그 행동이
일어났음을 나타낼 때 쓴다. .

'Passive suffixes(-이-, -히-, -리-,
-기-) are used to express that
a particular action is done or
affected by someone or
something.

## 예문　EXAMPLE

- 제 방에서 바다가 보**여**요.
- 공장 굴뚝은 하늘을 찌를 듯이 높이 솟아 있어서 마을 어디에서나 잘 보**였**다.
- 친구에게 발을 밟**혔**어요.
- 범인이 경찰에게 잡**혔**어요.
- 작은 물고기는 큰 물고기에게 먹**혀**요.
- 시간이 오래 지났지만 지금도 그 모습이 잊**히**지 않아요.
- 밖에서 음악 소리가 들**려**요.
- 아이가 엄마에게 안**겼**어요.

# -지 않아요?

## 의미 MEANING

자신의 의견을 강조하면서 상대방도 이에 동의하는지를 확인할 때 쓴다.

'-지 않아요?' is used when a speaker emphasizes his / her opinion and confirms whether the other person agrees to it.

## 예문 EXAMPLE

- 이 드라마 연출이 정말 놀랍**지 않아요?**
- 이 옷 저한테 잘 어울릴 것 같**지 않아요?**
- 불고기 만들기가 어렵**지 않아요?**
- 오늘 날씨 너무 습하**지 않아요?**
- 이 카페 분위기가 참 좋**지 않아요?**
- 이번 주 방송 정말 볼 만하**지 않아요?**
- 교양 프로그램은 어려운 내용도 쉽게 알려 줘서 재미있**지 않아요?**
- 선생님은 정말 잘 가르치**지 않아요?**
- 저 아이는 정말 귀엽**지 않아요?**
- 이 다큐멘터리 정말 감동적이**지 않아요?**
- 음식이 상한 것 같**지 않아요?**

# 얼마나 -는다고요/ ㄴ다고요/ 다고요

## 의미　MEANING

어떠한 내용을 강조하여 말할 때 쓴다.

'얼마나 -는다고요/ㄴ다고요/다고요' is used to emphasize something.

## 예문　EXAMPLE

- 그 가방이 **얼마나** 비싸**다고요**.
- 제가 책을 **얼마나** 자주 읽**는다고요**.
- 사람들이 이 방송을 **얼마나** 많이 **본다고요**.
- 이 방송 프로그램은 다양한 분야의 상식을 알려 주어서 **얼마나** 유익하**다고요**.
- 표정이 딱딱하니 **얼마나** 긴장했**다고요**.
- 공감 가는 이야기가 많아서 방송을 보면서 **얼마나** 감동했**다고요**.
- 등산하는 사람이 많아서 **얼마나** 놀랐**다고요**.
- 여행하는 동안 날씨가 **얼마나** 좋았**다고요**.
- 진 씨가 매운 음식을 **얼마나** 잘 먹**는다고요**.
- 혼자 여행을 하면 **얼마나** 편하**다고요**.

# -더니

## 의미  MEANING

과거에 관찰한 사실과 그 뒤에
이어진 행동 또는 상황을 연결하여
말할 때 사용한다.

'-더니' is used to connect a fact
observed in the past to
a following behavior.

## 예문  EXAMPLE

- 그는 한참을 망설이**더니** 헤어지자고 말했어요.
- 그녀는 할머니를 보**더니** 일어나서 자리를 양보했어요.
- 갑자기 컴퓨터가 꺼지**더니** 다시 작동이 안 되었어요.
- 안나 씨가 쉬는 시간에 휴대폰을 보**더니** 눈이 동그래졌어요.
- 수진 씨가 가격 때문에 고민하**더니** 결국 옷을 사지 않았어요.
- 민호 씨가 행사 내내 얼굴이 안 좋**더니** 행사가 끝나기도 전에 가 버렸어요.
- 유진 씨가 아까 선생님의 설명을 듣**더니** 고개를 끄덕거렸어요.
- 주인공이 합격 소식을 듣**더니** 기쁨의 눈물을 흘렸어요.
- 그 사람이 갑자기 나를 보**더니** 나한테 다가왔어.

# -는/(으)ㄴ 것이다

## 의미　MEANING

앞에 나오는 내용에 대해서 주의를 끌면서 효과적으로 표현하고자 할 때 쓴다.

'-는/(으)ㄴ 것이다' is used to draw someone's attention and to express what was said previously effectively.

## 예문　EXAMPLE

- 택시비를 내려고 하는데 지갑이 없**는 거예요**.
- 처음 보는 사람이 계속 저를 따라오**는 거예요**.
- 시험지를 받았는데 갑자기 공부한 게 하나도 생각이 안 나**는 거예요**.
- 드라마 주인공은 소개팅에서 그를 보자마자 반**한 거예요**.
- 서로를 마주하더니 아무 말도 못 하고 펑펑 울기만 하**는 거예요**.
- 헤어진 연인을 길에서 우연히 만났는데 모른 척하고 지나가**는 거예요**.
- 오토바이를 탄 남자가 주인공의 가방을 뺏어서 범인을 쫓**는 거예요**.
- 공원을 지나가는데 사람들이 한 곳에 모여 있**는 거예요**.
- 나를 생각해 주는 그 사람의 마음이 너무 따뜻**한 거야**.

# (으)로서

## 의미 MEANING

어떤 대상이 앞에 나오는 지위나 신분, 자격, 속성을 가지고 있음을 나타낸다.

'(으)로서' is used to express a status, an identity, a qualification, or a feature of the preceding noun.

## 예문 EXAMPLE

- 이것은 우리 도시를 대표하는 건축물**로서** 유명한 건축가가 설계한 것이다.
- 춘천은 관광 도시**로서** 풍부한 관광 자원을 가지고 있습니다.
- 전라남도 여수는 남해 바다와 섬들을 볼 수 있는 관광지**로서** 유명한 곳이지요.
- 대전은 여러 지역을 연결하는 교통의 요충지**로서** 역할한다.
- 그는 국가 대표 선수**로서** 올림픽에 참가했어요.
- 그는 기자**로서** 사람들에게 진실을 알리기 위해 노력했어요.
- 대통령**으로서** 나라와 국민을 위해 열심히 일하겠습니다.
- 교사**로서** 학생들을 위해 열심히 가르치겠습니다.
- 서울은 대한민국의 수도**로서** 한국을 대표하는 도시이다.
- 나는 아이들의 아버지**로서** 최선을 다하려고 노력한다.

# 에 대해서

## 의미 MEANING

앞에 나오는 것이 말이나 생각의 대상임을 나타낸다. '에 대해'라고도 할 수 있다.

'에 대해서' expresses that the preceding part is the topic of the sentence or a thought. It can also be simplified to '에 대해.'

## 형태/기능 FORM/FUNCTION

뒤에 명사가 올 때는 '에 대한+명사'의 형태로 사용한다.

When '에 대해서' is followed by a noun, it is used in the form of '에 대한+noun.'

## 예문 EXAMPLE

- 오늘 학교에서 국어의 역사에 대해서 공부했다.
- 선생님께서 그의 연주에 대해서 칭찬했다.
- 친구에게 문제 푸는 방법에 대해 물었다.
- 드라마 촬영지로 유명한 춘천 명동과 남이섬에 대해 자세히 알아보았다.
- 인터뷰를 하기 전에 그 사람에 대해 자세히 살펴보았다.
- 저는 환경에 대해 관심이 많습니다.
- 세계의 친환경 도시에 대해 알아보았습니다.
- 공업화와 도시화에 대해 조사해 보았습니다.
- 인문학은 인간에 대한 문제를 연구하는 학문이다.
- 요즘 학생들은 역사에 대한 관심이 부족하다.
- 저는 인천에 대해서 소개하는 글을 쓰려고 해요.
- 유진 씨는 자기가 살고 있는 도시에 대해 잘 알아요?

# -(으)며

## 의미 MEANING

두 가지 이상의 동작이나 상태, 사실을 나열할 때 사용한다.

'-(으)며' is used to list more than two actions, states, or facts.

## 형태/기능 FORM/FUNCTION

일반적으로 '-(으)며'는 말하기나 일상적인 상황에서보다는 쓰기나 격식적인 상황에서 더 많이 사용된다. 세 가지 이상을 나열할 때는 '-고'와 '-(으)며'를 번갈아서 사용하는 것이 좋다.

'-(으)며' is generally preferred in written or formal speech rather than in spoken or informal speech. It is better to use '-고' and '-(으)며' in turns to list more than three things.

## 예문 EXAMPLE

- 그는 인사성이 바르**며** 사람들에게 친절하다.
- 삼계탕은 맛이 좋**으며** 건강에도 좋아서 외국인들에게 인기가 많다.
- 한국의 전통술은 막걸리이**며** 전통 의상은 한복이다.
- 지리산 계곡은 물이 맑**으며** 아름다워서 여행지로 유명하다.
- 한옥은 여름에 시원하**며** 겨울에는 따뜻하다.
- 한국의 수도는 서울이**며** 공식 언어는 한국어이다.
- 한국은 삼면이 바다로 둘러싸여 있**으며** 서쪽에는 작은 섬이 많다.
- 한국은 동쪽에 높은 산맥이 있**으며** 봄·여름· 가을·겨울의 사계절이 있다.
- 한국의 인구는 약 5,200만 명**이며** 수도는 서울입니다.
- 한국은 여름에 비가 많이 오**며** 무척 덥고 습합니다.

# -고자 하다

## 의미　MEANING

말하는 사람이 어떤 행동을 하려는 의도나 희망을 가지고 있음을 나타낸다.

'-고자 하다' expresses that the speaker has an intention or a wish to behave in a particular way.

## 형태/기능 FORM/FUNCTION

연설이나 보고 같은 공식적인 말이나 글에서 주로 사용한다.

'-고자 하다' is usually used in formal speech or writing such as in speeches or reports.

## 예문　EXAMPLE

- 저는 한국에 대해 발표하**고자 합니다**.
- 저는 오늘 가족에 대해 말씀드리**고자 합니다**.
- 오늘은 한국 수도 서울에 대해 배우**고자 합니다**.
- 내가 말하**고자 하는** 것이 바로 그것입니다.
- 저는 오늘 한국의 유명한 음식을 소개하**고자 합니다**.
- 좋은 작가가 되**고자 한다면** 좋은 글을 많이 읽어야 합니다.
- 지금부터 회의 진행에 필요한 내용을 말씀드리**고자 합니다**.
- 저는 한국 만화에 대해 발표하**고자 합니다**.
- 멀리 있는 친구에게 소식을 전하**고자 합니다**.
- 행복하**고자 한다면** 생각을 먼저 바꿔야 한다.
- 지금부터 행사를 시작하**고자 합니다**.

부록

# 색인 1

**Index**
(in Korean alphabetical order)

# 4A

## 1부. 어휘와 표현

## 2부. 문법

# 색인 2

**Index**
(in English alphabetical order)

# 4A

※ 이 교재는 산돌폰트 외 Ryu 고운
한글돋움OTF, Ryu 고운한글바탕OTF
등을 사용하여 제작되었습니다. Ryu
고운한글돋움OTF, Ryu 고운한글바탕
OTF 서체는 서체 디자이너 류양희 님
에게서 제공 받았습니다.

# 세종한국어 | 어휘·표현과 문법 4A

 문화체육관광부
**국립국어원**

(07511) 서울 강서구 금낭화로 154
전화: +82(0)2-2669-9775
전송: +82(0)2-2669-9747
홈페이지 http://www.korean.go.kr

| | | |
|---|---|---|
| 기획·담당 | 박미영 | 국립국어원 학예연구사 |
| | 조 은 | 국립국어원 학예연구사 |
| 책임 집필 | 이정희 | 경희대학교 국제교육원 교수 |
| 공동 집필 | 최은지 | 원광디지털대학교 한국어문화학과 교수 |
| | 김금숙 | 상지대학교 한국어문화학과 조교수 |
| | 김민경 | 고려대학교 교양교육원 초빙교수 |
| | 김가람 | 전북대학교 교과교육연구소 연구교수 |
| | 윤세윤 | 경희대학교 국제교육원 객원교수 |
| 집필 보조 | 김민아 | 서울대학교 국어교육과 박사수료 |
| | 김지예 | 고려대학교 교양교육원 강사 |
| | 정성호 | 경희대학교 국어국문학과 박사수료 |
| | 서유리 | 경희대학교 국어국문학과 박사과정 |
| 번역 감수 | 변우영 | 오하이오주립대학교 동아시아어문학과 부교수 |

초판 1쇄 인쇄　　2022년 8월 15일
초판 1쇄 발행　　2022년 9월　1일

ISBN　978-89-97134-44-1 (14710)
ISBN　978-89-97134-21-2 (세트)

출판·유통　　공앤박 주식회사(www.kongnpark.com)
(05116) 서울시 광진구 광나루로56길 85, 프라임센터 1518호
전화: +82(0)2-565-1531
전송: +82(0)2-3445-1080
전자우편: info@kongnpark.com

총괄 | 공경용
책임 편집 | 이유진, 이진덕, 여인영
영문 편집 | 성수정, Kassandra Lefrancois-Brossard
아트디렉팅 | 오진경
디자인 | 이종우, 서은아, 이승희
제작 | 공일석, 최진호
IT 지원 | 손대철, 김세훈
마케팅 | Sung A. Jung, Paulina Zolta, 윤성호

# Sejong Korean
**VOCABULARY & GRAMMAR BOOK**

4A

문화체육관광부
국립국어원

**KONG & PARK**   www.kongnpark.com

값 4,000원

14710

9 788997 134441
ISBN 978-89-97134-44-1
ISBN 978-89-97134-21-2 (세트)

— Vocabulary & Grammar Book —

— 어휘 · 표현과 문법 —

4B

문화체육관광부
국립국어원